roman noir

Dominique et Compagnie

Sous la direction de

Agnès Huguet

Camille Bouchard

Les voyages de Nicolas

Trafic au Burkina Faso

Illustrations

Normand Cousineau

**Catalogage avant publication
de Bibliothèque et Archives
nationales du Québec et
Bibliothèque et Archives Canada**

Bouchard, Camille, 1955-
Trafic au Burkina Faso
(Roman noir)
(Les voyages de Nicolas)
Pour enfants de 9 ans et plus.

ISBN 978-2-89512-755-0
I. Cousineau, Normand. II. Titre.
III. Collection. IV. Collection:
Bouchard, Camille, 1955- .
Voyages de Nicolas.

PS8553.O756T72 2009 jC843'.54 C2008-942400-X
PS9553.O756T72 2009

© Les éditions Héritage inc. 2009
Tous droits réservés
Dépôts légaux: 3ᵉ trimestre 2009
Bibliothèque et Archives nationales
du Québec
Bibliothèque nationale du Canada
Bibliothèque nationale de France

ISBN 978-2-89512-755-0
Imprimé au Canada

10 9 8 7 6 5 4 3 2 1

Direction de la collection
et direction artistique:
Agnès Huguet
Conception graphique:
Primeau Barey
Révision et correction:
Céline Vangheluwe

Dominique et compagnie
300, rue Arran
Saint-Lambert (Québec)
J4R 1K5 Canada
Téléphone: 514 875-0327
Télécopieur: 450 672-5448
Courriel:
dominiqueetcie@editionsheritage.com
Site Internet:
www.dominiqueetcompagnie.com

Nous remercions le Conseil des Arts
du Canada de l'aide accordée à notre
programme de publication. Nous reconnaissons l'aide financière du gouvernement du Canada par l'entremise du
Programme d'aide au développement
de l'industrie de l'édition (PADIÉ) pour
nos activités d'édition.

Nous reconnaissons l'aide financière du
gouvernement du Québec par l'entremise du Programme de crédit d'impôt
pour l'édition de livres – SODEC – et du
Programme d'aide aux entreprises du
livre et de l'édition spécialisée.

À tous mes amis lecteurs
de Memphrémagog
et de Pohénégamook

Prologue

Je m'appelle Nicolas ; j'ai dix ans. Je suis québécois, mais je vis à l'étranger. Depuis plus d'un an, mon père et ma mère ont entrepris de faire le tour du monde. Il me semble que cela fait une éternité que nous sommes partis. Il m'arrive même de penser que le Québec n'existe plus ; que mes souvenirs de là-bas ne sont qu'un rêve.

Nous restons quelques semaines dans chaque pays que nous visitons. Parfois dans les grandes villes, parfois dans les villages. Mon père est ingénieur et travaille pour une firme importante. On lui offre des contrats ici et là au cours de notre périple. Le plus souvent, ma mère se déniche aussi un emploi lorsque nous nous installons quelque part. Puisque je n'ai ni frère ni sœur, je me retrouve plusieurs heures par jour seul avec une gouvernante ou avec un professeur particulier.

Quelquefois, je parle à mes grands-parents au téléphone. Pour moi, ils ne sont plus qu'une voix sans visage. Une voix au timbre éraillé par la distance et les mauvaises lignes téléphoniques. Il y a bien ces photos d'eux que maman place toujours en évidence dans nos nouvelles demeures. Mais ces regards fixes ne paraissent pas appartenir à des êtres que j'ai connus.

J'ai aussi une photo de moi en train de jouer dans la neige. Un cliché pris alors que je n'avais pas huit ans. On dirait que ce n'est pas moi. Je ne me reconnais pas et je ne reconnais pas ces paysages d'hiver. Je n'ai pas vu de neige depuis si longtemps.

Chaque fois que nous débarquons

dans un nouveau pays, je découvre un monde inconnu et fascinant. Un univers différent de celui que je viens de quitter.

C'est comme naître plusieurs fois dans une même vie.

Chapitre 1

Les drôles de noms

Je ris tellement que j'en tombe à la renverse sur le plancher.

– Nicolas ! gronde maman. Tu vas te salir.

Entre deux souffles, toujours à terre, je demande :

– Bobo… bobo quoi ?

– Bobo-Dioulasso, répond papa en pinçant les lèvres pour ne pas pouffer avec moi.

Lui, ce n'est pas tant le nom de la ville qui le fait rire que de me voir me désopiler autant.

– Nicolas, reprend maman, on ne se

moque pas ainsi d'une autre culture.

– Il ne se moque pas, rétorque papa en me tendant la main pour m'aider à me relever. Il entend ce nom pour la première fois, alors, forcément, ça le... surprend.

Je me remets debout en essuyant les larmes qui me coulent des yeux. Hoquetant, je dis :

– C'est ça, maman, je... je ne m'attendais pas à un nom pareil. Je ne recommencerai plus, promis.

J'essaie de ne pas regarder mon père, sinon je sens que je vais encore éclater de rire !

– J'espère bien, réplique maman. Il ne manquerait plus que tu insultes nos futurs voisins à Bobo-Dioulasso !

Dans ses yeux, je décèle une lueur d'amusement. Elle est peut-être moins fâchée qu'elle tente de le paraître.

Elle continue :

–Déjà que tu as failli mourir de rire quand tu as vu le nom de la capitale sur le bâtiment de l'aéroport : Ouaga-dougou.

–Oua... Ouaga... Ouaa... ha, ha, ha !

Et voilà que je me roule de nouveau par terre.

• • •

Nous sommes au Burkina Faso, en Afrique occidentale, pour un séjour de plusieurs semaines. Ici, à peu près tout le monde parle notre langue puisqu'il s'agit d'une ancienne colonie française. Mon père y a décroché un contrat « très intéressant », selon sa propre expression, mais je ne sais pas s'il fait allusion au défi ou au salaire.

À Bobo-Dioulasso, nous résidons

dans une maison spacieuse construite en bois et en mortier, surmontée d'un toit de tôle, avec un jardin et un appentis. Voilà un véritable luxe dans ce pays où la plupart des citadins vivent dans des habitations pas plus grandes qu'un cabanon. À la campagne, les gens logent dans plus petit encore : des cases rondes faites de pisé – un mélange d'argile et de paille –, coiffées d'un toit de chaume.

Ici, le climat est chaud et sec. Nous sommes donc chanceux d'avoir un puits qui alimente le domicile en eau potable. Le jardin est assez vaste, mais plutôt mal entretenu, avec des herbes jaunasses et des fleurs assoiffées. Apparemment, le jardinier ne fait pas très bien son travail. La propriété au complet est entourée d'un haut mur en pisé sur lequel courent des lézards.

Un arbre immense, desséché, appelé baobab, étend une ombre bien maigre sur l'habitation.

• • •

– Je m'appelle Victorine.

La femme est grande, plantureuse, avec un visage doux, couleur chocolat. Ses cheveux sont dissimulés sous une coiffe en tissu coloré. Elle porte une robe en coton rouge avec des dessins bleus. Elle est pieds nus.

– Vous avez des références comme bonne d'enfants ? demande maman.

Cette dernière est assise dans un fauteuil en osier sur la véranda où elle reçoit les candidates au poste de gouvernante. La dénommée Victorine éclate de rire en désignant la douzaine de petits Noirs, âgés entre deux

et neuf ans, qui l'entourent et cha-
hutent. Ce sont six de ses enfants à
elle, avec leurs cousins et amis.

–Ai-je vraiment besoin de références, madame ?

Elle parle français avec un bel accent.

Maman sourit. Je sais qu'elle est sé-
duite. Elle explique à Victorine quelles
seront ses tâches. Elle devra faire le
ménage, les courses et la cuisine, s'as-
surer que l'homme d'entretien fait
son travail correctement et, bien sûr,
veiller sur moi lorsque je serai seul à
la maison. Je crois que les gages offerts
sont adéquats, car la femme joint les
mains pour remercier maman, les
yeux humides.

–Salut ! Je m'appelle Bagnomo. Toi,
c'est comment ?

Un garçon que je n'avais pas encore
remarqué s'est approché de moi. Il

ne porte qu'un pagne crotté autour de la taille. Sa peau noire renvoie des reflets bleutés. Cela fait un grand contraste avec ses dents qui jettent une lumière éclatante quand il sourit.

— Salut ! Moi, c'est Nicolas. J'ai dix ans. Et toi ?

Il hausse les épaules.

— Je ne sais pas. Peut-être comme toi.

Il désigne Victorine :

— Voici maman.

— Tu as beaucoup de frères et sœurs, dis-je avec une moue pour exprimer mon étonnement.

— Pas toi ?

— Non. Je vis tout seul avec mes parents.

— Ça doit faire bizarre d'être toujours tout seul. Tu viens du Canada ?

— Oui.

— À l'école, l'an dernier, on nous a

parlé de ton pays. Tu habites Toronto ? Montréal ?

–Non, je vis un peu partout à travers le monde. Par contre, j'ai des grands-parents à Memphrémagog et aussi à Pohénégamook.

Bagnomo éclate de rire si fort que tout le monde se tourne vers nous pour nous observer. Intrigué, je lui demande :

–Qu'est-ce que j'ai dit ?

Il se laisse tomber sur les genoux, se tenant le ventre à deux mains ; on dirait qu'il est malade. Mais non, il est tout simplement mort de rire ! Il reprend son souffle et se relève. Je lui demande à nouveau :

–Mais enfin, qu'est-ce que j'ai dit ?

Encore haletant, il répond :

–Qu'est-ce qu'ils sont rigolos les noms de villes dans ton pays !

Chapitre 2

À côté des termites

Tous les jours de la semaine, je vais à l'école, située au cœur de la ville. Ce matin-là, toutefois, je reviens chez moi plus tôt, car notre professeur est victime d'une crise de malaria[1]. À la maison, c'est Victorine qui m'accueille. Maman avait rendez-vous avec le responsable d'une organisation humanitaire locale. Elle cherche un emploi ou, comme elle le dit elle-même, « une occupation pour me rendre utile ».

---

[1] Maladie tropicale, commune en Afrique. Elle provoque de fortes fièvres de façon intermittente. On l'appelle aussi « paludisme ».

—Je t'offre deux choix, *toubabou,* me propose Victorine : soit tu m'aides à nettoyer la maison, soit tu vas jouer dans le jardin pour ne pas gêner mon travail.

Toubab et *toubabou* sont deux mots que les Africains utilisent pour désigner les Blancs. Cela n'a rien de méprisant, c'est seulement une appellation qui signifie « étranger » ou « visiteur ».

Je n'hésite pas une seconde :

—Je choisis la deuxième option !

—Bonne décision ! réplique Victorine en rigolant. De plus, Bagnomo arrivera bientôt. Il n'a pas classe pendant les heures chaudes de la journée. Vous pourrez jouer ensemble jusqu'à la reprise, vers seize heures.

Une fois dehors, je file vers le baobab. Hier, à côté de l'arbre, j'ai repéré une termitière[2] aussi haute que moi.

Il s'agit d'une grosse masse de terre durcie coincée entre le tronc et le mur qui entoure la propriété. Je veux observer les insectes à l'œuvre.

Mais, à trois pas du nid de termites, je m'arrête net, surpris. Mon cœur bondit. Derrière le baobab, je vois dépasser les deux pieds d'un corps étendu par terre ! Quelqu'un se cache ici. Et peut-être... Mon Dieu ! Serait-ce un cadavre ?

Je m'approche lentement, contournant le tronc... Je vois d'abord les chevilles, très fines... puis les jambes. On dirait quelqu'un d'assez petit, un enfant, sans doute... Ensuite, j'aperçois les genoux, sales et écorchés... le rebord d'une jupe – serait-ce une fille ? – ou d'un pagne – plutôt un gars...

---

[2] Nid de termites.

Tout à coup, je sursaute et me fige
sur place : les jambes ont remué !

Au moins, ce n'est pas un cadavre.
J'attends… plus rien ne bouge… Je
m'approche encore… encore…

– Aaah !

– Aaah !

Nous sommes deux à crier presque
en même temps. Moi d'abord, puis la
personne couchée par terre. Il s'agit
bien d'une fille. Elle me regarde avec

de grands yeux effrayés tandis qu'elle se dresse sur son séant. Je pense qu'elle a à peu près mon âge. Ses cheveux sont en broussaille, sa figure est maculée de larmes et de poussière.

La fille porte une robe de coton ordinaire, grise – à moins qu'elle ne soit d'une autre couleur pâle. Avec cette poussière qui la recouvre, difficile de le savoir. En fait, en y regardant de plus près, je constate que son vêtement n'est qu'un long morceau de tissu enroulé autour du corps et attaché par un nœud sous l'aisselle gauche.

Une fois remis de ma surprise, je demande :

– Mais… mais qu'est-ce que tu fais là ? Pourquoi te caches-tu ?

Elle me fixe toujours avec stupé-faction, comme si elle n'avait jamais vu de Blanc de sa vie. Je note que, à son cou, pendouille une cordelette retenant un cauri, un petit coquillage très prisé en Afrique.

Puisqu'elle ne répond toujours pas, j'insiste :

– Eh bien, parle ! Pourquoi te caches-tu ?

– Salut, Nicolas !

– Aaah !

Une main vient de se poser sur mon épaule. Les battements de mon cœur ressemblent à ceux d'un djembé[3] endiablé. Je me retourne et découvre le visage amusé de Bagnomo. Soulagé, je souffle :

– Tu m'as fait peur !

– Qui c'est, la fille ? demande mon ami.

Cette dernière s'est relevée et continue de me fixer, sans s'intéresser le moins du monde à Bagnomo.

– Je ne sais pas. Je ne la connais pas. Je crois qu'elle ne parle pas français.

Comme tous les Africains, mon ami parle plusieurs dialectes de sa région. Il se place devant l'inconnue et, en dioula, en mooré, en peul, en bambara et enfin en bobo, il lui demande pourquoi elle se cache dans notre jardin. Comme la fille ne desserre pas

---

[3] Tambour africain.

les dents et ne semble pas prêter attention aux questions de Bagnomo, je commence à me convaincre qu'elle est sourde et peut-être même muette. Finalement, elle se décide à répondre, mais toujours en me regardant :

– Je parle la langue du *toubabou.* Je m'étais endormie là. Tu m'as réveillée...

Je l'interroge à mon tour :

– Comment t'appelles-tu ? Et d'où viens-tu ?

– Mon nom est Mamounata. Je viens de Togorogo.

– Togorogo ? s'étonne Bagnomo. C'est à une journée de marche d'ici. Tes parents vont s'inquiéter.

La fille passe rapidement la main sur ses joues comme pour essuyer une larme qui ne s'y trouve pas. Son geste a pour effet de tracer une ligne claire sur son visage poussiéreux.

—Je n'ai pas vu mes parents depuis très longtemps. J'ai été vendue.

Je manque de m'étouffer. Je débite, très rapidement :

—Comment ça, vendue ? À qui ? Et qui t'a vendue ? Tes parents ?

—Non, bien sûr. Mes parents m'ont confiée à une femme qui me promettait un travail d'aide-ménagère dans la maison d'un riche marchand en Côte-d'Ivoire[4]. Elle a dit que je pourrais envoyer beaucoup d'argent à la maison et qu'il me resterait même du temps libre pour aller à l'école. Nous sommes très pauvres, et j'ai plusieurs frères et sœurs. Alors mes parents ont accepté.

—La femme avait menti ?

—Oui, répond Mamounata en sou-

---

[4] L'un des pays voisins du Burkina Faso.

pirant. Elle m'a remise entre les mains d'un groupe d'hommes qui l'attendaient, pas très loin d'ici. Il y avait un autobus dans lequel se trouvaient déjà d'autres enfants. On m'a fait monter à bord. Nous avons patienté là plusieurs heures sans boire ni manger. Je ne savais pas si c'était normal ou non.

– Qu'attendaient-ils ?

– D'autres enfants. Ils sont arrivés plus tard, avec une autre femme. Les hommes ont paru satisfaits. L'autobus est parti en direction de la frontière. Le voyage a duré longtemps, car nous faisions de longs détours pour éviter la police.

– J'ai entendu parler de ce trafic, dit Bagnomo en prenant un air supérieur. À l'école, mon professeur nous a mis en garde contre ces pratiques auxquelles se livrent des criminels venus des pays voisins : Côte-d'Ivoire, Ghana, Niger... Ces bandits enlèvent les enfants pour les faire travailler comme esclaves dans des plantations de cacao, dans des mines...

– Ou comme domestiques, précise Mamounata.

Bagnomo lui demande :

– Tu as été maltraitée ?

– Évidemment, répond-elle, sinon je ne me serais pas enfuie. Je travaillais très dur, de cinq heures du matin à minuit, chaque jour, chez des gens très méchants. Il y avait le père, la mère et leurs trois enfants. Je faisais tout le travail dans la maison et on ne me donnait que des restes pour manger. Et parfois, eh bien, il ne restait rien... La femme me battait tout le temps pour des peccadilles : je n'avais pas rapporté assez d'eau du puits, j'avais oublié de laver un plat, j'avais laissé un peu de poussière sur un meuble... Alors, pour me punir, il arrivait qu'on me laisse deux journées entières sans manger.

– Deux jours sans manger ? dis-je, sidéré.

– Je n'avais pas le droit de sortir... et encore moins d'aller à l'école. De plus, je n'ai jamais eu un sou du salaire promis. L'homme de la maison a affirmé qu'il envoyait l'argent directement à mon père, mais je sais qu'il mentait.

– Tu étais vraiment traitée comme une esclave, conclut Bagnomo.

Je déclare d'un ton rassurant :

– Ton cauchemar est terminé maintenant. Aujourd'hui, tu vas rester avec nous et, ce soir, quand mes parents seront de retour, nous irons te reconduire chez toi.

– Non ! réplique Mamounata à ma grande surprise. Nous ne pouvons attendre tout ce temps. C'est une question de vie ou de mort.

Chapitre 3

L'autobus maudit

Mamounata, Bagnomo et moi marchons plus d'un kilomètre après les dernières maisons de Bobo-Dioulasso. Nous atteignons un terrain vague, plombé par le soleil. Il est environ midi et nos ombres au sol sont quasi inexistantes. L'air enflammé transporte des odeurs venues du désert, loin au nord.

Cette région du pays est dominée par la savane arborée. Ici et là, au milieu des hautes herbes, surgissent des arbres solitaires. À cette heure-ci, pour se protéger de la chaleur, serpents et scorpions se terrent sous les pierres ou sous quelque plaque sablonneuse. Au moins, de ce côté-là, aucun danger ne nous guette.

Voilà quand même le genre d'expédition qui ne plairait guère à maman et papa. Avec un peu de chance toutefois, je serai revenu avant la tombée de la nuit, vers dix-huit heures, juste à temps pour le souper. Et mes parents ne sauront rien de ma petite escapade… Ni Victorine, j'espère.

La mission que nous nous sommes donnée ? Empêcher que les trafiquants repartent avec un autre autobus rempli d'enfants !

– Ce n'est pas pour rien que je me suis enfuie cette semaine, nous a expliqué Mamounata. J'ai appris qu'il y aurait un autre rassemblement aujourd'hui même. Je sais d'où partira le bus des trafiquants d'enfants : un terrain vague pas loin d'ici. Avant de retourner chez mes parents à Togorogo, je veux faire un détour par là. Un de mes oncles qui est policier habite dans un village voisin. On ira l'aviser et, avec son aide, on arrêtera les bandits avant qu'ils enlèvent d'autres jeunes.

Il ne fallut guère de temps à Mamounata pour nous convaincre de l'accompagner, Bagnomo et moi. Nous la trouvons si courageuse. Nous ne pouvions pas la laisser s'engager seule dans cette dangereuse expédition. Victorine nous croit partis jouer au ballon avec des amis dans le quartier voisin. Elle s'est un peu étonnée de nous voir emporter autant de fruits et d'eau, mais on ne lui a pas parlé de Mamounata, affamée et assoiffée.

Nous trouvons rapidement l'autobus. Il est caché à l'ombre de quatre
baobabs imposants sur un terrain re-
tiré. Selon Bagnomo, qui connaît le
coin, il est rare que quelqu'un passe
par ici. Il s'agirait d'une ancienne propriété privée maintenant abandon-
née. La vieille piste qui la traverse a
été remplacée depuis longtemps par
une route, plus loin.

Nous nous dissimulons à plat ventre au sommet d'une butte coiffée de hautes touffes d'herbe. De là, nous pouvons observer le véhicule. Entièrement couvert de poussière, celui-ci semble en piteux état avec plusieurs de ses vitres craquelées et sa carrosserie pleine de trous.

–Nous arrivons à temps, lâche Mamounata.

Elle est allongée entre Bagnomo et moi, et son cauri traîne dans le sable.

—Ainsi, tu avais dit vrai, murmure Bagnomo presque pour lui-même.

—Regardez! fait Mamounata à mi-voix. Les passeurs…

Assis au pied des baobabs, trois adultes fument des cigarettes. Nous sommes trop loin pour bien distinguer leur visage, mais nous notons que le plus grand des trois est aussi le plus gros. Le second a des jambes si longues qu'on croirait presque qu'il porte des échasses. Son pantalon, trop court, découvre ses chevilles. Le troisième homme n'a rien de particulier, si ce n'est d'avoir enfoncé sa casquette jusque sur ses yeux.

Les enfants, une bonne quinzaine, âgés entre six et treize ans—du moins, de ce que je peux en juger depuis mon observatoire—, attendent dans l'autobus. Certains dorment étendus sur les

banquettes, d'autres s'ennuient, le visage appuyé contre la vitre. Aucun d'eux ne sourit, aucun ne paraît content d'aller là où il y a du travail. Je comprends que c'est le besoin de manger, de rapporter de l'argent à leurs parents, qui pousse ces jeunes à quitter leur foyer. Et non le plaisir de voyager.

– Qu'est-ce qu'ils attendent ? dis-je en murmurant.

– D'autres enfants, affirme Mamounata.

Bagnomo demande :

– On fait quoi, maintenant ? On va chercher ton oncle ?

– Pas tout de suite, répond Mamounata. Attendons plutôt que tous les enfants soient arrivés.

– Pourquoi ?

– Parce que j'ai changé de plan, dit-elle.

Je la regarde avec surprise.

– Comment ça ? C'est quoi, ton nouveau plan ?

Mamounata se mord les lèvres et n'ose plus nous regarder. Elle dit :

– Juste avant que l'autobus reparte, nous nous empresserons de descendre en criant aux enfants de se sauver. J'ai aperçu des jeunes de mon village. Je suis sûre qu'ils me reconnaîtront eux aussi ! Lorsque je leur dirai comment on m'a traitée, cela les convaincra de s'échapper.

Je ronchonne :

– Je n'aime pas ça du tout. Si tu crois que les passeurs te laisseront le temps de parler !

– Nous sommes trois et nous nous disperserons, propose Mamounata. Ils ne pourront pas nous faire taire tous en même temps. De plus…

Elle s'interrompt pour se tourner vers moi. Ses yeux brillent, à la fois de malice et de gratitude. Elle reprend :

– De plus, Nicolas, tu es blanc. Ils seront vraiment surpris de te voir surgir avec Bagnomo et moi. Ils n'oseront pas te toucher. Enfin, ils vont peut-être te taper dessus, mais pas te kidnapper.

– Merci, ça me rassure ! dis-je avec une expression ironique, tandis que mon cœur s'emballe à la perspective de recevoir une raclée.

– Tu es vraiment brave, dit-elle en me donnant un petit coup d'épaule, comme pour m'encourager.

– Et moi ? Je suis noir ! s'exclame Bagnomo. Les passeurs n'hésiteront pas à m'enlever si ça tourne mal ! Je suis encore plus héroïque, il me semble.

Nous rigolons tous les trois, et cela

nous aide à faire retomber la tension. Mamounata regarde droit devant elle. Son visage est résolu.

– Tout va bien se passer, déclare-t-elle.

Et, comme si cela suffisait à justifier nos efforts et à effacer nos craintes, elle ajoute :

– À partir de maintenant, vous êtes mes deux meilleurs amis.

Je me dis alors que mon père a bien raison. Chaque fois que ma mère parvient à le convaincre avec ses cajoleries de l'accompagner à un endroit où il n'a pas envie d'aller ou d'exécuter une corvée qui l'ennuie, il s'écrie : « Les femmes sont trop ratoureuses pour les hommes ! »

– En tout cas, nous saurons bientôt si ton nouveau plan fonctionne, dit Bagnomo en désignant la piste au loin.

Mamounata et moi suivons son regard. Bagnomo précise :

– D'autres enfants arrivent là-bas. Ils sont quatre. Une femme les accompagne.

– Je la reconnais, affirme Mamounata. C'est elle qui m'a vendue.

Chapitre 4

Fuyez !

Les deux passeurs qui sont toujours à l'extérieur de l'autobus sont en train de payer la femme. Leur complice, celui avec la casquette, s'est déjà installé au volant, mais il n'a pas encore démarré. Les quatre derniers enfants ont à peine le temps de s'asseoir dans le véhicule que nous dévalons la butte en hurlant comme des enragés :

– Fuyez ! Ces gens vous ont menti ! Fuyez ! Vous allez devenir des esclaves. C'est un piège !

Suivant le plan établi par notre amie, nous nous dispersons en éventail afin d'obliger les passeurs à courir d'un côté à l'autre du bus pour nous faire taire. Mamounata se dirige vers le milieu du véhicule pour que les jeunes de son village puissent la reconnaître. Bagnomo court vers l'arrière, et moi vers l'avant, la direction la plus dangereuse, car c'est là que se tiennent les bandits. Pendant quelques secondes, ces derniers sont paralysés par la surprise, sans doute parce qu'ils voient apparaître devant eux un Blanc qui hurle comme un possédé. Puis, ils finissent par se ressaisir.

– Attrapez-les ! ordonne le plus grand et le plus gros, qui semble être le chef de la bande. Attrapez-moi ces vauriens !

– Fuyez ! Fuyez ! que nous continuons à hurler, mes deux amis et moi, en agitant les bras comme si c'était nécessaire d'attirer davantage l'attention des enfants.

Ceux-ci nous fixent avec étonnement. Du coin de l'œil, je vois que le bandit aux longues jambes s'élance à la poursuite de Bagnomo, tandis que la femme tente de rattraper Mamounata.

– Fuyez !

– Qu'est-ce que t'as à hurler comme ça, toi, le *toubab* ? Approche que je t'apprenne à te taire.

Et voilà le chef de la bande qui se précipite vers moi. Heureusement, il a beau être le plus costaud, il est également le moins rapide. Je parviens à le gagner de vitesse.

Un bruit de vieux moteur enroué se mêle soudain à nos cris. Le chauffeur a mis le contact !

Tout en courant, j'effectue une courbe brusque pour distancer davantage mon poursuivant. Même s'il paraît aussi lourdaud qu'un hippopotame, celui-ci continue à me suivre de près. Je longe maintenant le bus. À travers les vitres, je distingue les enfants qui commencent à s'agiter. Certains se lèvent et se dirigent vers la portière. Le chauffeur s'empresse aussitôt de la fermer. Bien que je ne puisse rien entendre, je devine que les plus vieux argumentent avec lui.

– Fuyez ! Allez ! Dépêchez-vous !

– Viens là, petite garce ! crie la femme en parvenant à saisir le bras de Mamounata. Viens là que je t'apprenne à mentir comme ça.

Et vlan ! Elle frappe ma pauvre amie à toute volée. Mamounata tombe par terre, une main sur le côté du visage, complètement sonnée.

Le deuxième passeur est sur le point

de rejoindre Bagnomo qui hurle toujours :

—Fuyez, tout le monde ! Fuyez ! Hé ! toi, lâche-moi ! Fuy… !

Vlan ! C'est à son tour de recevoir une claque. Et re-vlan ! Le type n'y va pas de main morte. J'ai le temps d'apercevoir Bagnomo rouler sur le sol avant de reporter mon attention sur le chef de la bande. Il se rapproche ! Et je m'essouffle de plus en plus. Pas question de me laisser tabasser comme mes deux copains ! Je calcule que mon poursuivant devrait me rattraper en moins de dix enjambées, alors je m'arrête net et lui fais face.

Surpris, soupçonnant une traîtrise de ma part, il s'arrête à son tour et m'observe intensément. Il souffle comme un buffle. J'aurais peut-être dû continuer à courir, après tout. Il est possible qu'il aurait perdu haleine avant de me mettre la main dessus. Mais il est trop tard maintenant, aussi, je le nargue :

– Écoute-moi bien, misérable. Mon père est le directeur de la CIA[5]. Si tu me touches, tu vas te retrouver dans une grosse prison américaine !

J'ignore ce qu'il se passe dans sa tête. Je ne suis pas très sûr, en tout cas, qu'il croit mon mensonge. Il me fixe durant de longues secondes, immobile, les yeux pleins de haine. Puis, jugeant peut-être que toucher un *toubab* risque en effet de déclencher une vraie opération policière, il choisit de tourner les talons. Je crie tandis qu'il court vers l'autobus :

– Et libère immédiatement tous les

---

[5] Services secrets américains.

enfants, sinon je raconte tout à mon père ! Et l'oncle de Mamounata est chef de police. Il arrivera dans deux minutes avec ses agents, et ils seront tous armés, et ils…

– Coumba, démarre ! ordonne le gros bandit au chauffeur. Vite ! Filons d'ici.

La femme et l'autre passeur traînent Mamounata et Bagnomo par le bras et les obligent à monter à bord du véhicule. Encore à moitié sonnés, mes amis se débattent à peine.

Je murmure pour moi-même :

– Oh non ! oh non ! Ce n'est pas du tout comme ça que ça devait se passer.

Le moteur gronde plus fort à mesure que le bus s'ébranle, crachant un nuage de fumée noire qui masque les hautes herbes et même le tronc du baobab. La tôle vibre, les vitres tintent.

Ce bus est en train d'emporter tous les enfants pour en faire des esclaves… et il enlève aussi mes amis par la même occasion!

Difficile de qualifier l'étrange sentiment qui m'envahit alors. Il s'agit d'une sorte de panique, mais en même temps c'est autre chose. On dirait qu'une cire enveloppe mon cerveau et l'empêche de fonctionner. Mon corps n'obéit plus à ma tête; il agit tout seul.

Sans réfléchir, je me précipite vers l'autobus. Campé sur mes jambes au beau milieu de la piste, les bras grands ouverts, je cherche à faire stopper le véhicule qui arrive dans ma direction.

Je distingue très bien le chauffeur, casquette relevée sur le dessus de la tête, les yeux arrondis de surprise. Je remarque aussi le chef des bandits qui me jette un regard incrédule et méprisant à la fois. Je vois la femme, la bouche déformée par la haine, et le passeur aux longues jambes, l'air trop imbécile pour exprimer quoi que ce soit. Derrière eux, j'aperçois les visages catastrophés des enfants, dont ceux de Bagnomo et Mamounata.

L'autobus prend de la vitesse à chaque seconde. Il fonce sur moi dans son nuage de fumée, et je n'ai, pour l'arrêter, que mes deux bras ouverts et ma musculature de garçon de dix ans.

Chapitre 5

L'accident

J'ai l'impression qu'elle brille à mes pieds comme s'il s'agissait d'une lampe, mais ce n'est qu'une grosse pierre bombardée par les rayons du soleil. Je la remarque quand la cire qui me recouvrait le cerveau se dissipe subitement. D'un mouvement rapide, je me penche et saisis la roche à deux mains. Elle est lourde, mais l'affolement a décuplé mes forces. Je la soulève au-dessus de ma tête.

Au moment où le chauffeur comprend mes intentions, il est trop tard. Pour lui, je veux dire. Je lance la pierre avec une énergie telle que le dénommé Coumba ne peut l'éviter, même en donnant un furieux coup de volant. Le pare-brise éclate à la hauteur de ses yeux et les passeurs disparaissent aussitôt derrière des milliers d'éclats de verre.

Le véhicule fait une embardée avant de quitter la piste. Il glisse dans le fossé et continue sa course sur plusieurs mètres jusqu'à ce qu'il percute le tronc d'un baobab. Le choc n'est pas trop rude, car l'autobus a été ralenti par sa glissade. Un vacarme d'enfer se produit tout de même : bois qui craque, tôle qui se froisse et moteur qui s'emballe un moment avant de mourir.

Lorsque la brise repousse la fumée noire crachée par la mécanique torturée, lorsque la poussière soulevée par l'embardée retombe enfin, je distingue dans l'autobus incliné le chef

des bandits aplati contre la portière. La femme est contre lui. Tous les deux se tiennent le crâne. Le chauffeur est toujours sur son siège, sa casquette disparue, le front appuyé sur le volant. Je pense qu'il est sonné. Je ne vois pas le dernier passeur, celui à l'air imbécile. Il doit être tombé sur le plancher.

Je m'inquiète pour mes amis. Je les cherche des yeux parmi les enfants qui se bousculent à bord de l'autobus. Nombreux sont ceux qui tentent de sortir par les fenêtres cassées. Ils vont se blesser avec les débris de verre, c'est certain.

Soudain, j'aperçois une silhouette familière.

– Bagnomo !

Mon ami se déplace avec peine dans l'allée du bus. Je crie à tue-tête pour qu'il puisse m'entendre à travers le pare-brise éclaté :

– Bagnomo ! Ouvre la portière ! Fais sortir tout le monde par la por…

Je n'ai pas le temps de terminer ma phrase. Le chef vient de s'ébrouer. Il repousse la femme sans ménagement et pousse un terrible cri de fureur. Il rattrape par le pantalon deux adolescents qui essaient de sortir par le pare-brise, frappe un troisième qui cherche à s'interposer et gifle deux fillettes qui veulent quitter leur banc.

Je hurle en courant vers l'autobus :

– Ne vous laissez pas faire ! Il est gros, d'accord, mais il est seul. Attaquez-le !

Encore sous le choc, les jeunes ne réagissent guère, sauf Bagnomo qui, rempli de courage, prend l'offensive. Il tente de repousser l'homme avec ses mains, mais sans succès.

De mon côté, emporté par mon élan, j'ai grimpé sur le capot du bus, ce qui me donne une meilleure vue sur l'intérieur. Le chauffeur a roulé en bas de son siège, inconscient. La femme saigne et gémit dans son coin. Et le troisième passeur, l'abruti aux longues jambes, est accroupi par terre, les mains sur la tête.

Au moment où je pénètre dans le bus par l'ouverture du pare-brise, Bagnomo reçoit du costaud un violent coup de pied. Il s'affaisse sur le sol, plié en deux. Trois adolescents qui, enhardis, se préparaient à seconder mon ami, restent maintenant figés sur place, effrayés.

Je comptais profiter de l'effet de surprise pour me jeter dans la mêlée,

mais le chef vient de m'apercevoir. Ses yeux expriment une telle colère à mon égard que je sais que je serai sa prochaine victime. Le voilà qui s'élance vers moi dans la ferme intention de m'empoigner.

Et c'est alors que, tout à coup, sortie de je ne sais où, Mamounata bondit sur le gros homme !

Elle le saisit par-derrière et lui enserre le cou à deux bras. Le chef des passeurs se débat dans l'espoir de se dégager, ce qui me donne le temps d'enjamber le tableau de bord et de foncer sur lui à mon tour. Je le heurte de plein fouet à la hauteur de la poitrine. Déséquilibré, l'homme recule... pour se retrouver sous les coups de poing de Bagnomo qui, de son côté, a eu le temps de se relever. Avant que le bandit puisse riposter, les trois adolescents sont suffisamment revenus de leur surprise pour nous prêter main-forte.

La scène se termine dans un fouillis indescriptible de coups et de cris. Mamounata abandonne la bataille pour s'occuper des plus jeunes et les inciter à fuir par la portière ouverte. Pendant ce temps, le passeur abruti, pris de panique, s'échappe par le pare-brise et disparaît dans la nature.

Épilogue

Ouf! Il s'en passe des choses pendant les deux jours qui suivent l'accident de l'autobus. D'abord, les policiers viennent arrêter les passeurs que nous avons réduits à l'impuissance et attachés dans le véhicule. Puis, le lendemain, ils retrouvent celui qui s'était enfui.

Ensuite, maman, papa et même Victorine doivent remplir des tas de formulaires au poste de police de Bobo-Dioulasso. Après avoir entendu notre histoire, les policiers interrogent les passeurs et la femme, puis démantèlent leur réseau. Les données relatives aux enfants victimes de ce trafic sont enregistrées sous la supervision de l'organisme humanitaire où maman a postulé un emploi — elle profite d'ailleurs de ces circonstances particulières pour décrocher une place dans ledit organisme. Les autorités font en sorte que les enfants enlevés retournent dans leurs villages respectifs. Nous voilà donc à Togorogo pour le retour de Mamounata parmi les siens. Victorine a donné la permission à Bagnomo de nous accompagner, mes parents et moi.

Togorogo est un village typique de cette région d'Afrique, avec ses huttes rondes en pisé, ses greniers à céréales, ses toits de chaume, ses clôtures de branchages, ses poules et ses chèvres qui courent partout.

La nuit est tombée. Une centaine de personnes, adultes et enfants, sont rassemblées avec nous autour d'un grand feu sur la place principale.

Nous sommes l'attraction. Enfin, pas seulement ma famille et moi en tant que *toubabs*, mais aussi Mamounata qui raconte tout ce qu'elle a subi depuis des mois. Sa mère, qui n'avait pas eu de ses nouvelles depuis son enlèvement, ne la lâche pas d'une semelle. Elle se lève quand elle se lève, se rassoit quand elle se rassoit. On dirait qu'elle a peur de la perdre une nouvelle fois.

Entouré de ses neuf autres enfants, le père de Mamounata semble très fier de sa fille. Il la regarde avec admiration tandis que, debout près du feu, notre amie achève son récit en expliquant comment elle a imaginé son plan pour délivrer les autres enfants de Togorogo et des villages voisins.

– Lorsque j'ai fui la maison où j'étais esclave, je savais que je devais faire très vite. Une nouvelle livraison d'enfants était prévue et je voulais revenir à Togorogo pour vous alerter avant que les passeurs aient entraîné leurs victimes avec eux. Malheureusement, j'ai manqué de temps. Le soir, la veille du départ de l'autobus, j'étais seulement arrivée à Bobo-Dioulasso. C'était trop tard pour vous prévenir. Il ne me restait qu'une solution : le lendemain, je devais aller à l'endroit où la femme retrouvait les passeurs et crier aux enfants de fuir.

Assis en tailleur près de mon père, les coudes appuyés sur les cuisses, j'écoute le récit des aventures de Mamounata. À côté de moi, Bagnomo imite ma posture, le menton dans les mains. Ma mère est assise plus loin avec des femmes du village et deux employés de l'organisme humanitaire.

Du coin de l'œil, je note que des jeunes de mon âge me regardent en rigolant, une main sur la bouche. Je

ne leur en veux pas. Je suis sans doute le premier enfant blanc qu'ils voient de leur vie.

– Comme il commençait à faire noir, continue de raconter Mamounata, je me suis cachée derrière une termitière pour dormir. J'étais si fatiguée de ma longue marche que j'ai sombré dans un profond sommeil.

D'un geste gracieux de la main, elle me désigne en poursuivant :

– Tard, le lendemain matin, Nicolas m'a découverte et j'ai été très surprise de me trouver devant un Blanc. En l'observant, j'ai eu une idée : je pouvais l'utiliser pour réaliser mon plan. Si un *toubabou* m'accompagnait pour affronter les passeurs, j'aurais beaucoup plus de chances de réussir.

Étonné, je prends la parole à mon tour :

– Mais tu nous as dit, à Bagnomo et à moi, que tu voulais rejoindre ton oncle policier pour qu'il prenne l'affaire en main.

Mamounata a un petit rire gêné, tandis que ses parents froncent les sourcils en signe d'incompréhension.

– Excuse-moi, Nicolas. Et toi aussi, Bagnomo. En fait, je n'ai pas d'oncle policier, avoue-t-elle. C'était seulement pour vous convaincre de me suivre.

– Tu nous as menti ?

– Oui, car j'avais *vraiment* besoin de vous. Le temps pressait et j'étais seule.

Pendant que Bagnomo et moi échangeons un regard consterné, Mamounata se penche vers un petit garçon près d'elle. J'ai cru comprendre, plus tôt, qu'il s'agissait de son plus jeune frère. Il tient des crayons dans ses mains. Mamounata s'en saisit et s'approche de Bagnomo pour les lui offrir.

—Merci pour ton aide, dit-elle. Cela te sera utile à l'école. Et excuse-moi encore.

Elle s'avance ensuite vers moi. J'essaie de ne pas me laisser intimider par tous ces yeux blancs—des centaines d'yeux blancs au milieu de visages noirs—qui me fixent.

Mamounata retire le cauri qui pend à son cou et, penchée vers moi, passe la cordelette autour de ma tête. Le coquillage se balance sur ma poitrine.

—Merci, Nicolas.

La bise qu'elle dépose sur ma joue me fait tellement rougir que, même si je ne suis que faiblement éclairé par le feu, tout le monde le remarque. Dans un bel ensemble, les villageois éclatent d'un grand rire.

Je me tourne vers papa et déclare :
— Les femmes sont trop ratoureuses
pour les hommes !

Camille Bouchard

Né à Forestville, Camille Bouchard s'est installé à la campagne, dans la région de L'Islet. Il se consacre à ses deux grandes passions, l'écriture et le voyage. Dans sa vie de globe-trotter, il a visité de nombreux pays en Asie, en Afrique et en Amérique du Sud. Voyageur infatigable, Camille a exploré des sites légendaires et a dormi à la belle étoile dans la jungle, dans le désert ou au sommet des montagnes. Il a gravi des pyramides, assisté à des rites sacrés et croisé des hyènes et des serpents à sonnettes. Autant d'expériences et de souvenirs extraordinaires qui l'inspirent pour imaginer les aventures de Nicolas…

Dans la même collection

Niveau 1, dès 7 ans •
Le chasseur de monstres
Gilles Tibo

Série Lucie Wan
Lucie Wan et le voleur collectionneur
Lucie Wan et la maison des mystères
Lucie Wan et l'énigme de l'autobus
Agnès Grimaud

Série Porthos
Porthos et la menace aux yeux rouges
Porthos et les tigres à dents de sabre
Denis Côté

Niveau 2, dès 9 ans • •
Série Les voyages de Nicolas
Danger en Thaïlande
Horreur en Égypte
Complot en Espagne
Pirates en Somalie
Trafic au Burkina Faso
Camille Bouchard

Filou, chien voyou
Agnès Grimaud

Niveau 3, dès 10 ans • • •
Une terrifiante histoire de cœur
Carole Tremblay